Texto:
Josep de C. Laplana y Teresa Macià,
con la colaboración de Salvador Costa (Egipto)
y Teresa Magadán (Chipre)

Fotografías:
Ramon Calvet, Manuel Pérez y Tony Coll

© Pablo Picasso, Santiago Rusiñol, Francesc
Gimeno, Hermen Anglada Camarasa, Joaquim
Sunyer, Joaquim Torres-Garcia, Xavier Nogués,
Le Corbusier, VEGAP, Barcelona, 1998.

Diseño gráfico:
Carlos Ortega y Jaume Palau

Impresión:
Tallers Gràfics Soler, S.A.

Edita:
Publicacions de l'Abadia de Montserrat
Ausiàs Marc, 92-98 - 08013 Barcelona

ISBN 84-7826-981-9
Depósito legal: B-28.231-1998

Con la colaboración de:

# CAIXA DE TERRASSA

# Museu de Montserrat

## Guía de visita

**P. Picasso.** «La sardana de la paz». 1959.

# Índice

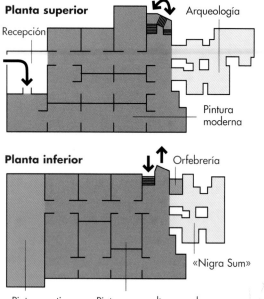

**Planta superior**

Recepción

Arqueología

Pintura
moderna

**Planta inferior**

Orfebrería

«Nigra Sum»

Pintura antigua    Pintura y escultura modernas

# Introducción:
# Museo de Montserrat

El museo de Montserrat está configurado por varias colecciones, que desde 1996 se encuentran ubicadas en un mismo edificio.

En esta guía dedicamos un capítulo a cada una de las colecciones, en el que explicamos su origen y contenido y destacamos las obras más importantes.

## El edificio

El espacio que ocupa el museo tiene su propio interés. Lo construyó para restaurante, en 1930, el arquitecto **Josep Puig i Cadafalch** (1867-1956), dentro del proyecto general de reforma de las plazas del monasterio. Es un edificio en suspensión; el piso superior, por medio de unos grandes arcos parabólicos de hierro, sostiene una planta inferior, que se aguanta sólo por una serie de finos tirantes. Las demás colecciones ocupan un espacio abierto entre los fundamentos de hormigón de la torre del monasterio.

**Entrada al Museo**

# Arqueología del Oriente Bíblico

Esta colección está íntimamente unida a la figura del P. **Bonaventura Ubach i Medir** (Barcelona, 1879 - Montserrat, 1960), monje de Montserrat, que dedicó su vida al estudio de la Sagrada Escritura. El P. Ubach reunió materiales botánicos, zoológicos, etnológicos y arqueológicos con la intención de ilustrar el mundo de la Biblia. El Museo de Montserrat expone los principales objetos arqueológicos que configuraron el antiguo Museo Bíblico, inaugurado en Montserrat el 27 de abril de 1911. El P. Ubach adquirió la mayoría de estos materiales en Bagdad, Jerusalén, Beirut y El Cairo.

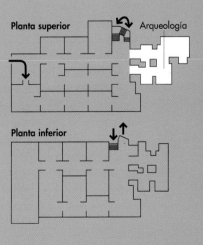

Planta superior    Arqueología

Planta inferior

# Mesopotamia

La antiquísima cultura mesopotámica ha sido considerada durante mucho tiempo la más antigua de las civilizaciones. Esta sección del museo de Montserrat contiene objetos que abarcan un amplísimo período que va del año 3400 al 200 aC aproximadamente.

Las **Tablillas de escritura cuneiforme**, en lenguas sumeria, acádica, elamita, hitita y cananea (3000-200 aC), contienen en su mayor parte documentos económicos, pero también hay cartas, listas de nombres geográficos, de enfermedades y medicamentos, un calendario astrológico, un vocabulario sumero-acádico y hasta dictados escolares.

La cultura mesopotámica era eminentemente comercial; por esta razón tienen tanta importancia los pesos. Su forma nos permite datarlos. La forma de pera es anterior al tercer milenio aC; la de dátil es propia de los años 3000-2600 aC; y la de pato es posterior al 2300 aC.

Fragmento de **Talento** (entero pesaría unos 30 Kg) de calcita negra en forma de pato con el cuello descansando sobre el cuerpo. (19 x 45 x 19 cm)

Los sellos cilíndricos eran objetos personales y se llevaban colgados del cuello. Su impronta servía para autentificar los documentos escritos en las tablillas de barro todavía tierno. Normalmente son de piedra semipreciosa, muy dura, y llevan el tema grabado en negativo. El más antiguo muestra un tema de ofrenda a la divinidad; otros representan cabras o cérvidos corriendo, figuras esquemáticas, la fachada de un templo, piñas, luchas con animales que recuerdan el mito de Gilgamesh, escenas de presentación del rey ante la divinidad de la ciudad, etc. Algunos de ellos tienen inscripción. Los que están expuestos son sumerios, babilónicos, asirios y neobabilónicos, datables entre el 3400 y el 600 aC, y junto a ellos vemos sus improntas en arcilla.

**Sello cilíndrico** (2 x 1 x 1 cm) con impronta

**El Kudurru** es un mojón infeudatario que servía para delimitar las propiedades agrícolas del soberano, dejadas en feudo a un arrendatario. El que vemos en el museo de Montserrat pertenece a la dinastía casita, pueblo que invadió las tierras de Babilonia hacia el 1500 aC. En este fragmento, en su parte delantera, vemos dos templos con un montículo encima, un cuadrúpedo de perfil sobre un pedestal y signos de constelaciones; en la posterior hay un templo con un árbol superpuesto, el sol, etc.; en la zona inferior se aprecian restos de una inscripción.

Entre los demás objetos expuestos cabe destacar las estatuillas de divinidades y oferentes siro-babilónicos.

Fragmento superior de un **Kudurru** (época casita c 1000 aC). (19x19x13 cm)

# Egipto

La colección de Egipto presenta más de 300 piezas que ilustran espléndidamente los diversos aspectos de la vida ordinaria a partir del ajuar funerario.

La **momia** es de una mujer de unos 25 años de Baja Epoca (664-343 aC), con la máscara. En el cartonaje se representa: el gran collar «usej» y Horus con el disco solar, la diosa Nut con las alas desplegadas, el dios Anubis realizando una momificación y los cuatro hijos de Horus, un lecho funerario con las diosas Isis y Neftis, el sol alado entre dos ureos y una columna de inscripción jeroglífica con la oración de les ofrendas.

El **Sarcófago antropomórfico** pertenece a la misma época que la momia. La tapa conserva el retrato del difunto, con la gran peluca que enmarca el rostro rojizo, provisto de la ritual barba postiza. Todavía se puede ver el gran collar con una cabeza de halcón en cada extremo, unas portadoras de ofrendas y otras escenas.

El **Sarcófago rectangular** (Reino Medio, 2133-1786 aC) es de madera de cedro y tiene representados los ojos de Horus («wedjat») y una inscripción jeroglífica elogiosa del difunto.

Los retratos para sarcófagos y las máscaras de momia procuraban reproducir con más o menos semejanza los rasgos faciales de los difuntos.

**Sarcófago rectangular** (Reino Medio, 2133-1786 aC). Madera de cedro policromada. (50 x 190 x 38 cm)

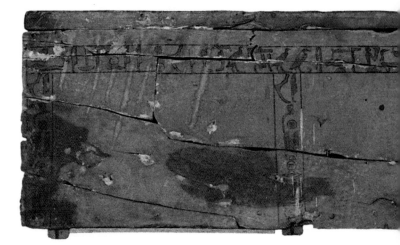

Los **Vasos Canopes** (Baja Epoca, 1085-341 aC) contenían les entrañas de los difuntos y cada uno de ellos guarda referencia a los cuatro puntos cardinales. Las tapaderas tienen la forma de uno de los cuatro hijos de Horus: Amset, con cabeza de hombre, que con la protección de Isis conserva el hígado del difunto; Hapi, con cabeza de perro, que con Neftis se encarga de los pulmones; Duamutef, con cabeza de chacal, que con Neit protege el estómago; y finalmente Qebehse-

nuf que presenta cabeza de halcón y con Selkis guarda los intestinos. Tiene un interés especial el estuche de madera policromada para un vaso canope.

Los **Conos funerarios** se incrustaban en la pared encima de la puerta de la cámara funeraria. Los del museo de Montserrat proceden todos de Tebas; tres de ellos datan del reinado de Tutmosis IV (1425-1417 aC), otro es del reinado de Tutmosis III (1504-1450 aC) y los otros dos pertenecen al de Psamético I (663-609 aC).

**Retrato para un sarcófago.**
Madera policromada.
(27 x 19 x 9 cm)
..............

La **barquilla funeraria** nos recuerda que éste era el principal medio de transporte a lo largo del Nilo. Simboliza el curso solar y el viaje hacia el más allá, relacionado con el dios Amón-Ra. Tiene seis remeros, el timonel —arrodillado a popa—, el piloto —con un brazo extendido con el que sujetaba una caña para medir la profundidad del río—, y dos grumetes que se encargan de la vela.

**Los Ushebtis** (entre las dinastías XIX y XX, 1320-950 aC) tenían que reemplazar al difunto en los trabajos agrícolas. Acostumbran a llevar una o dos azadas o un saco y una inscripción.

Las **portadoras de ofrendas**, de madera policromada (final del Primer Período Intermedio, 2130-2040 aC y Reino Medio, 2133-1786 aC), tienen la misión de perpetuar la función de las sirvientas que suministran trigo, cerveza, agua o huevos de avestruz, etc.

Las **momias de animales** formaban parte del ajuar funerario como elementos de protección y compañía en la vida de ultratumba. Del pez tenemos sólo el sarcófago. La momia del **halcón** asegura la benevolencia de Horus, la **gata** hace presente a la diosa Bastet y el **cocodrilo**, al dios Sebek.

La religión egipcia no tiene una teología homogénea sino que consiste en un conjunto de cosmogonías centradas en una determinada ciudad y en su dios. Las diversas divinidades forman familias y en el transcurso de la historia establecen entre ellas ciertas afinidades. Las divinidades representadas en el museo son: **Osiris**, en actitud momiforme y sosteniendo la pilastra de «djed»; **Isis**, hermana y esposa de Osiris, a menudo representada dando de mamar a su hijo **Horus**; éste toma a veces la forma de un halcón. **Horus Harpócrates** aparece como un niño hijo de Isis. La diosa **Bastet** adopta la figura de gata; a **Hathor** se la representa por la vaca o por sus orejas y cuernos; **Bes** tiene forma de enano, **Tueris** de un hipopótamo, **Thot** de un ibis, **Apis** de un ternero y **Anubis** de un chacal.

Entre otros objetos cabe destacar una **jarra polícroma** del palacio de Amenhotep III (XVIII dinastía), la **cabeza real**, de diorita negra, de época saíta, que pertenece a una escultura faraónica de cuerpo entero, **amuletos** en forma de escarabeos, **objetos de tocador**, **materiales de cerámica**, algunos de ellos antiquísimos, y una muestra de las diferentes escrituras egipcias sobre varios soportes.

**Momia de una mujer** (Baja Época, 664-343 aC).

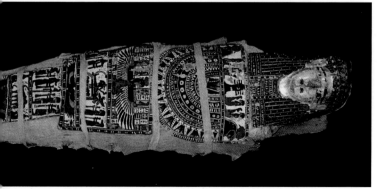

# El mundo clásico

Las culturas griega y latina están representadas por unas piezas de calidad excepcional, procedentes de la donación de Xavier Busquets.

La cabeza de **kouros** griego (época arcaica, c 510 aC) es un fragmento de una figura de cuerpo entero de un joven atleta. Vemos también un **Olpe corintio** para perfumes decorado con registros de animales, de época arcaica, una **ánfora ática** de figuras negras (520 aC), con Hera en su carro tirado por dos caballos y una escena dionisíaca con un sátiro, y un **aryballos corintio** (600 aC) con ornamentación de animales y harpías.

**Ánfora ática** de figuras negras (520 aC). (37 x 27 x 27 cm).

La cerámica etrusca está representada por tres «kylix», un «oinochoé» (jarro de vino) de la llamada cerámica de Bucchero (s. VI aC) y un vaso en forma de cabeza humana (s. IV aC), que podría ser la de Heracles.

Tienen interés las lámparas romanas, una antropomorfa y otra tauromorfa, (s. I aC-III dC).

# Cerámica palestinense

Tierra Santa es un país de paso entre dos culturas predominantes, la mesopotámica y la egipcia, pero tuvo personalidad propia y fue habitado desde un tiempo tan antiguo como sus naciones colindantes.

Mucho antes de la época patriarcal con la que empieza la Biblia, ya hay muestras cerámicas de una civilización cananea agraria y nos hallamos ya ante el fenómeno de la fundación de ciudades.

La cerámica del **Bronce Medio** (2000-1600 aC) coincide más o menos con la época de los patriarcas bíblicos, y la del **Bronce Reciente** (1660-1200 aC), con el predominio de Egipto sobre la tierra de Canaán y con el principio del asentamiento del pueblo de Israel en esta tierra, teniendo a Josué como caudillo (1230-1220 aC).

**Ungüentario herodiano** (40 aC).
(23 x 6 x 6 cm).
...........

Las diosas cananeas de la fertilidad, los amuletos y los idolillos nos permiten ver la coexistencia de las culturas cananeas con la del pueblo de Israel.

La cerámica del **Hierro I** (1200-900 aC) es coetánea al período de los Jueces y al establecimiento de la monarquía en Israel. El reino de David (1010-970 aC) y de Salomón (970-931 aC), que la Biblia supone como el de máximo esplendor de Israel, no aparece así en la cerámica popular.

La cerámica del **Hierro II** (750-500 aC) coincide con el período de los reyes de Judá y de Israel, la destrucción de Jerusalén y el exilio a Babilonia; fue la edad de los grandes profetas. La cerámica de este momento manifiesta influencias extranjeras, principalmente de Chipre. En la cerámica de **época helenística** (300 aC) encontramos formas de jarras y píxides cercanas a la cerámica popular que predomina en la zona oriental del Mediterráneo.

Pertenecientes a la época romana, son interesantes los **ungüentarios herodianos** (40 aC), de forma fusiforme, dos ollas y una botella que pertenecen al **tiempo de Jesús** y que nos permiten pensar en las vasijas que pudo utilizar él y los suyos, unos fragmentos con el sello de vino importado de Rodas y otros con el sello de la Legio **X Fretensis** (s I dC), que era la que aseguraba el orden público en nombre de Roma desde la destrucción de Jerusalén.

# Objetos judíos de culto

Estos objetos pretenden ilustrar las costumbres religiosas judías.

Las **Hanukiás** son unas lámparas que los judíos encienden en casa para celebrar la fiesta de la «Hanukiá», en la que conmemoran la dedicación del templo de Jerusalén. Cada dia de la octava de la fiesta se enciende un mechero más.

Las **Mezuzás** contienen un pequeño pergamino que lleva escrito el fragmento bíblico de la «shemá», que es el resumen de la fe judía. Estas cajitas se clavan en la jamba de la puerta, y los judíos que entran o salen de casa deben tocarla con respeto.

**Torá.** s. XVIII, (102 x 30 x 20 cm).

**La Torá** es el libro de la Ley de Dios, que constituye el centro del culto sinagogal. Tiene forma de rollo y contiene el Pentateuco, o sea los cinco primeros libros de la Biblia. Las dos astas llevan campanillas que suenan principalmente en la ceremonia del balanceo que acompaña la introducción de la Torá en la asamblea. El lector no ha de tocar nunca el texto sagrado con la mano, para leer puede ayudarse con una varilla de plata que acaba con una mano con el índice extendido; este instrumento se llama iad.

**El chal de oración** (tallit) lo utilizan solamente los hombres durante los oficios sinagogales de la mañana. Con él se cubren los hombros y, según los ritos, también la cabeza.

El chal de oración se complementa con las **filacterias** (Tefillim). Son dos cajitas de cuero negro que contienen un pergamino con el texto de la «shemá»; cada una lleva dos correas.

Las **Hadasas** sirven per exhalar perfumes y así separar el tiempo sagrado del profano.

La colección de lámparas nos permite seguir la evolución formal de este utensilio, que servía para iluminar. Las más **antiguas** (1100 aC-...) tienen forma de cazoleta con los bordes pinzados; ésta es la forma tradicional palestinense y se usa desde la época cananea hasta la romana, coexistiendo con otras lámparas de formas importadas. **Las persas** (300 aC) tienen forma redonda y un pico muy largo. Las **egipcias** (100 aC) presentan formas muy variadas. Las **romanas de época republicana** (100 aC) son circulares con una minúscula asa lateral agujereada. Las **herodianas** (30 aC) tienen forma de chinela. Las **romanas de época imperial** (s. I dC-III dC) tienen el cuerpo circular con figuras y emblemas. Las **paleocristianas** de **época constantiniana** (s. IV-V dC) llevan el crismón; las de **época teodosiana** y las posteriores van ornadas con la cruz y decoración complementaria. Las **protobizantinas** (s. V-VI) tienen palmas e inscripciones. Las **bizantinas de época justinianea** y posteriores (s. VI-VII) llevan una decoración lineal y símbolos. Las **árabes** (s. VII-VIII dC) tienen forma de torrecilla.

# Chipre

Por su situación geográfica y por las minas de cobre que poseía, la isla de Chipre se convirtió en un lugar de confluencia de les diversas culturas del Mediterráneo oriental: los pueblos griegos, los imperios de Asia Menor, Siria, Palestina y Egipto.

Su cerámica, que se exportaba al por mayor, se hizo famosa ya en la antigüedad. Actualmente se la valora muchísimo, no sólo por su belleza, sino también porque, a causa de su rápida y bien diferenciada evolución, proporciona criterios cronológicos bastante precisos. Sus diversas épocas están bien representadas en el museo de Montserrat.

### Bronce Antiguo (2500 - 1900 aC) y Medio (1800 - 1650 aC)

Estos son los períodos más creativos de los que deriva toda la decoración posterior. Vemos piezas de superficie pulimentada decorada en rojo o negro, de formas muy variadas. Podemos destacar los jarros en forma de animalillos, seguramente de influencia micénica.

### Bronce Reciente (1625-1050 aC)

Esta es la edad de oro de la producción y exportación de la cerámica chipriota. En la colección está representada la cerámica monocroma, de engobe color crema y decoración negra o roja con círculos, puntos, rombos y retículos.

**Vasos en forma de toro**
(Bronce Medio, 1900 - 1650 aC)

**Jarros y bol de leche**
(Bronce Medio, 1900 - 1600 aC)

### Período Chipro-geométrico (1050-950 aC)

La cerámica de este periodo manifiesta cierta influencia fenicia, aunque perduran las características plásticas de la época anterior. En el museo de Montserrat predomina la cerámica de fondo claro y engobe «beige», con una decoración geométrica pintada en negro.

### Época Geométrica (950-750 aC)

Predomina la cerámica decorada en negro o bicroma (negro y rojo, o negro y blanco) sobre fondo claro o rojizo. Su decoración es más libre e incluye motivos animalísticos, florales y fantasiosos.

Los platos constituyen probablemente la forma más emblemática de este período.

### Época Arcaica (750 - 600 aC)

Fue la época de las grandes invasiones: asirias, egipcias y persas, y a pesar de ello fue el momento de mayor prosperidad después del Bronce Reciente.

En la evolución de la cerámica de este período, una de las más populares fue la roja con decoración negra y blanca. De este período vemos tres cantimploras, una producción típicamente chipriota, después exportada al continente.

### Período Helenístico (325-50 aC)

Alejandro Magno agregó Chipre al mundo helenístico del que se convirtió en una provincia más. La cerámica confirma también este hecho.

# Nigra sum

## Iconografía de Santa María de Montserrat

Esta exposición intenta mostrar las características iconográficas de la imagen de Santa María de Montserrat y cómo los artistas la han representado a lo largo de los siglos.

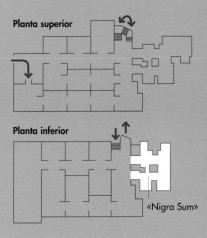

Planta superior

Planta inferior

«Nigra Sum»

# Santa María de Montserrat

Dos fotografías reproducen la santa imagen a la medida exacta del original que se venera en la Basílica. Es una talla románica que se podría datar a finales del s. XII. Sin embargo hay que advertir que en el siglo pasado renovaron la figura del Niño Jesús y las manos de la Virgen y que de la policromía original quedan solamente los fragmentos del trono.

La otra imagen es una escultura románica de piedra procedente de las antiguas construcciones de Montserrat, coetánea, si no anterior, a la talla de madera.

# Una princesa gótica

Unas reproducciones fotográficas y algunas medallas muestran las características de las imágenes de tradición gótica y del gótico tardío. Los artistas medievales hicieron caso omiso de la escultura original y aprovecharon la imagen de la Virgen para plasmar el ideal de la belleza femenina, presentándola como una bella princesa. A menudo tiene como fondo el paisaje montserratino, sugerido por el camino que serpentea la montaña con las cruces de los dolores y gozos de la Virgen. Esta aparece con una larga melena y el Niño Jesús sierra los peñascos él solo o bien ayudado por un ángel.

**Virgen de los peregrinos.** Manuscrito llamado «Llibre vermell» de Montserrat, principios del s. XV

# Nuestra Señora de Montserrat

En el Renacimiento, los artistas ya plasman con más fijeza la imagen de la Virgen, pero todavía conviven varias figuraciones: a veces la Virgen aparece derecha, a veces sentada de lado sobre la iglesia o también directamente sobre las montañas o en un sillón frailero. Lleva ya sus atributos: la bola del mundo y el lirio. La bola del mundo significa el cosmos. El lirio, normalmente de tres flores, alude a la virginidad de María antes, durante y después del parto. El Niño Jesús, desnudito, se gira para aserrar un peñasco, o bien, vestido, se sienta frontalmente en la falda de su Madre, con la bola del mundo en la mano izquierda, mientras bendice con la derecha. Por primera vez se tiene en cuenta la actitud de la talla original y se empieza a representar con verosimilitud la santa montaña con sus edificios y ermitas.

**Montserrat.** Finales del s. XVI o principios del XVII (100 x 81 cm)

# Reina y señora de Montserrat

Durante el Barroco, la iconografía de la Virgen de Mont-serrat se concreta de manera aún más fija. Vemos a la Virgen sentada sobre la montaña o en un trono como reina y señora, con vestidos holgados y de pliegues ampulosos, teniendo como fondo el paisaje imponente de la montaña de Montserrat, reproducida cada vez con mayor precisión. Se la representa siempre llevando sus mejores coronas, con todos sus atributos y de piel morena.

**J.A. Ricci.** Virgen de Montserrat. C. 1639. (189 x 144 cm)

# Patrona de Cataluña

A mediados del siglo XIX, después de la restauración de la vida conventual en el monasterio, las estampas comenzaron a representar a la Virgen de Montserrat con los vestidos acartonados y en forma de campana, que la imagen llevaba ya desde hacía mucho tiempo. Con esos vestidos, que esconden las formas de la talla original, la Virgen de Montserrat fue proclamada patrona de Cataluña en 1881. A partir de este momento se le añadió un elemento nuevo a su representación: el cetro del Patronazgo.

Sin embargo muy pronto se empezaron a divulgar una serie de imágenes que representan a la Virgen de Montserrat con una indumentaria semejante a la que tiene la talla original, pero de inspiración naturalista.

**«Virgen de Montserrat con escolanes».** c 1915. (140 x 93 cm)

# La Virgen de Montserrat

La revalorización de los períodos medievales y la afición por las ciencias históricas fomentaron el interés por restituir la imagen de la Virgen de Montserrat a su estado original. En 1920 se la fotografió sin vestidos postizos y, a partir de 1939, fue expuesta a la veneración de los fieles sin ningún añadido.

 La exposición se cierra con una reproducción fotográfica de la santa imagen instalada en el trono de plata sufragado por suscripción popular, en 1947. Este trono es una intervención contemporánea que, en vez de alterar la imagen, actúa en su entorno. Presenta la escultura original avanzada sobre una peana y enmarcada por dos escenas de la vida de la Virgen. Encima de la cornisa se encuentran sus emblemas sostenidos por cuatro ángeles: la corona, el cetro y el lirio.

# Orfebrería religiosa

Sólo dos piezas que se presentan en esta sección formaban parte del antiguo tesoro del monasterio de Montserrat, perdido a raíz de la Guerra Napoleónica a principios del siglo XIX. Los demás objetos litúrgicos se han ido incorporando más tarde al patrimonio montserratino. Sin embargo esta colección constituye un conjunto importante de orfebrería y muestra la evolución de los estilos, en este ámbito, desde la época medieval hasta la actualidad.

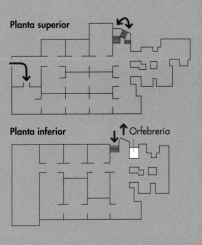

Planta superior

Planta inferior    Orfebrería

La **Corona preciosa de la Virgen de Montserrat**, el **cetro** y la **corona del Niño Jesús**, obra de los orfebres barceloneses Joan Sunyol y Francesc Cabot (1820-1895), fueron sufragados por suscripción popular con motivo de la solemne coronación de la Virgen y su proclamación como Patrona de Cataluña (1881).

**Corona preciosa de la Virgen de Montserrat.** 1881.
Diseño: Francesc de P. Villar.
Orfebre: Joan Sunyol

La pieza más antigua es el **cáliz gótico** con esmaltes, trabajado en Barcelona durante el s. XV, pero la más vinculada a la historia de Montserrat es **el cáliz y las vinajeras ofrecidos a la Virgen por el emperador Fernando III de Austria,** en 1621, en agradecimiento por la victoria sobre Gustavo de Suecia.

Los demás cálices de líneas más modernas nos ofrecen una muestra del trabajo artístico de orfebres y esmaltadores barceloneses de los años 50 y 60.

Cáliz y vinajeras del
**Emperador Fernando III
de Austria.** 1621

De las tres custodias, una es gótica del s. XV y tiene forma de arqueta, la otra en forma de torre es del renacimiento español y la tercera es de estilo modernista, realizada en 1903 por Lluís Masriera (1872-1958).

**Lluís Masriera.** Custodia. 1903. (93 x 38 x 13 cm)

El relicario de cristal de roca, obra renacentista milanesa, representa la crucifixión de Jesús; lo ofreció a Montserrat el Duque de Mantua y Monferrato en 1605.

Al lado de un portapaz renacentista que representa la Adoración de los reyes, hay otro de 1924, obra del orfebre barcelonés Ramon Sunyer.

El pectoral más antiguo es del s. XVII. Entre los modernos se destaca el esmaltado por Miquel Soldevila (1885-1956) en 1943.

Los dos broches son del 1959; el de fondo esmaltado azul, estrellas de orfebrería y la imagen de Cristo resucitado es obra de Oriol Sunyer (1923-1990), y el de gusto abstracto de plata oxidada, de Manuel Capdevila (1927).

**Manuel Capdevila.** Vinajeras en forma de calabacines. 1959

# Pintura de los siglos XIII al XVIII

La colección actual de pintura antigua tiene su origen en el legado que hizo a favor de Montserrat (1829) el canónigo Sebastià Yglésias y en las obras de pintura italiana que el P. abad Antoni María Marcet (1878-1946) adquirió en Roma y Nápoles entre 1911 y 1920. El P. abad Aureli María Escarré (1908-1968) aumentó la colección con algunos cuadros de escuela española y catalana, que junto a los de algunas donaciones particulares acaban de configurar el conjunto de obras que hoy podemos admirar.

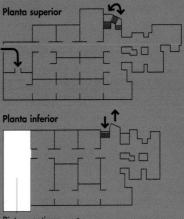

Planta superior

Planta inferior

Pintura antigua

La obra más antigua de esta sección es un fragmento de pintura mural del s. XIII, procedente de Bierge, junto a Barbastro.

El gótico catalán se manifiesta sobre todo en los retablos monumentales que adornaban los altares de las iglesias. La temática es siempre religiosa y el soporte acostumbraba a ser madera. La técnica es la témpera y suele tener un fondo dorado. El museo posee algunos fragmentos de retablos de diversas procedencias. Destacamos las pinturas del tarraconense **Jaume Cabrera**, activo entre 1394-1432, enmarcadas en un solo recuadro, que representan la Crucifixión de Cristo, y en la parte inferior la Ascensión, Pentecostés y la Coronación de la Virgen. La escena de construcción de una iglesia es obra del maestro **Nicolás Francés**, activo en León entre 1434-1468.

**Pedro de Berruguete** (c 1450-1504) es uno de los mejores maestros castellanos introductores del Renacimiento en la Península. Entrelaza influencias del gótico castellano, la pintura flamenca y las modas que llegaban de Italia. Las dos tablas «Nacimiento» y «Dormición de Nuestra Señora» son dos fragmentos de un gran retablo dedicado a la Virgen.

**Luis de Morales** (1510-1586), llamado «el Divino», está representado per la tabla «San Benito comentando su Regla». La obra de Morales presenta coincidencias con el manierismo italiano, sobre todo en las tonalidades y el alargamiento de las figuras.

Del mejor pintor del manierismo español, **El Greco** (1531-1614), podemos admirar un cuadro del principio de su carrera, pintado seguramente cuando aún vivía en Venecia. Representa a «Santa Magdalena penitente» (c 1576), y lo resuelve en tonalidades grises suavemente coloreadas; ya en aquella época tan temprana empieza a alargar ligeramente la figura, característica de su época de madurez.

**Pedro de Berruguete.** «Nacimiento de la Virgen». (128 x 95 cm)

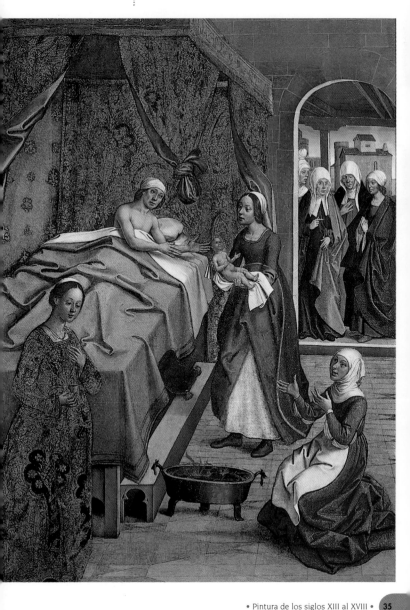

La obra del **flamenco Jan Bruegel de Velours** (1564-1625), pintada al óleo sobre plancha de cobre, representa a «San Benito entre los espinos», con un tratamiento casi miniaturista del paisaje, muy característico de la tradición flamenca y con un naturalismo típico del Renacimiento tardío.

**El Greco.** «Santa Magdalena penitente». c. 1576. (57 x 44 cm)

**Benedetto Bonfigli.** «San Fabián y san Sebastián». (108 x 48 cm)
..............

«Quattrocento» italiano está representado por las dos tablas laterales de un tríptico del sienés **Benedetto Bonfigli** (?-1496) que representan a los santos «Fabián y Sebastián» y «Antonio Abad y Bernardino de Siena»; la parte central, dedicada a la Virgen, se encuentra en el Museo de El Paso (EUA).

La influencia que Miguel Ángel ejerció sobre los pintores del Renacimiento italiano se aprecia muy bien en la tabla de **Marco Pino** (1517/22 - c 1579) con una «Sagrada Familia y una sirvienta», sobre todo por el serpentinato de la figura principal, el concepto del volumen predominantemente escultórico y la iridiscencia del color.

De **Andrea da Salerno** (c 1480 - 1530/31), podemos admirar la parte central del retablo, procedente de la Abadía de Montecasino, dedicado al abad «San Bertrario y compañeros mártires», (1513-1514). Representa a los monjes y habitantes de Casino que se refugiaron en el monasterio y que fueron asesinados per los sarracenos en el 884.

Ya en el Barroco, el cuadro atribuido a **Niccolò Tornioli** (1598-1651) trata el conocido tema de «La Caridad Romana»: el prisionero Cimón alimentado por su hija Pero; tema en el que la Iglesia Católica de la Contrarreforma se vio reflejada y que utilizó para representarse a ella misma alimentando con la fe a la humanidad.

La obra estelar de la colección es, sin duda, el «San Jerónimo penitente» (1605-1606) de Michelangelo Merisi da **Caravaggio** (1571-1610). La ropa blanca y el manto rojo ennoblecen al modelo, un pobre anciano, y la luz unifocal, que Caravaggio estableció como nota característica suya, hace salir la figura de la tiniebla del fondo y le confiere una dimensión de realismo fuerte y sugerente.

**Caravaggio.** «San Jerónimo penitente»
(1605-1606). (110 x 81 cm)

Junto a Caravaggio vemos a otros pintores caravaggescos, que tienen en común el recurso al claroscuro y una misma tonalidad, en la que resalta el color rojo. Se atribuye a **Trophime Bigot** (1579-1650), un francés documentado en Roma entre 1620-1634, esta «Santa Cena» que tiene la particularidad iconográfica de presentar a los personajes sentados en el suelo, en el momento en que Jesús bendice el pan que le presenta san Pedro. **Matthias Stomer** (c 1600-c 1650) es un pintor flamenco que se mueve en los ambientes caravaggescos de Roma y Nápoles; «La adoración de los pastores» pertenece a su período napolitano (1633-1640). Otro cuadro de esta escuela es «La oración de Jesús en el huerto de Getsemaní» (c 1660) firmado por el napolitano **Andrea Vaccaro** (1604-1670); el autor ha concentrado su interés en la dulzura del rostro de Cristo sufriente.

También merecen admiración las obras de dos napolitanos: el «Cristo flagelado» de **Corrado Giaquinto** (1703-1766) y «San Antonio de Padua» de **Pietro Bardellino** (1728-1810).

La obra de Gianbattista Tiepolo (1696-1770) es una «Alegoría al nacimiento de Francisco I de Austria» (1768), pintada durante el período español del autor. Cronos (el tiempo) presenta a Venus, que personifica la casa de Ausburgo, el recién nacido Francisco, destinado a ser emperador.

**Gianbattista Tiepolo.** «Alegoría al nacimiento de Francisco I de Austria». 1768. (46 x 57 cm)

La pintura francesa está representada por los retratos del famoso fabulista Jean de La Fontaine, pintado por el perpiñanés **Jacint Rigau** (1659-1743), y el de su esposa, obra de **Gabriel Revel** (1643-1712).

Ya en el ámbito del neoclasicismo vemos el cuadro de **Domenico Corvi** (1721-1803) «Lamentos sobre el cuerpo de Héctor» (ant. 1785); está tomado del canto 24º de la Ilíada. Al lado del héroe muerto vemos a Andrómaca abrazándole la cabeza; Príamo con larga barba lo contempla desconsolado; Elena lo contempla derecha al pie de la cama, y arrodillada a su lado llora Casandra; la nodriza besa al hijo Astrianacte y, por el fondo, la madre Hécuba entra en la cámara funeraria rodeada de sus sirvientas.

En la misma sala, en dos vitrinas diferentes, se muestran alternativamente una selección de estampas centroeuropeas —**Dürer** (1471-1528), **Cranach** (1472-1553), **Rembrandt** (1606-1669)— italianas — **Mantegna** (1431-1506), **A. Carracci** (1560-1609), **Piranesi** (1707-1778)— y españolas —**Carmona** (1730-1807), **Goya** (1746-1828).

# Pintura y escultura modernas

Desde el año 1982, el museo de Montserrat expone la colección de pintura catalana donada por **Josep Sala i Ardiz** (1875-1980), complementada por el legado de **Xavier Busquets i Sindreu** (1917-1990) y por otras donaciones. El conjunto forma una extraordinaria panorámica del arte catalán desde mediados del s. XIX hasta mediados del XX.

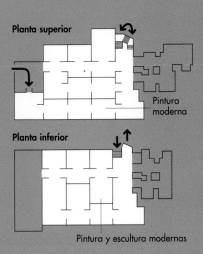

Planta superior

Pintura moderna

Planta inferior

Pintura y escultura modernas

Marià Fortuny. «El vendedor de tapices». 1870.
(59 x 85 cm)

**Marià Fortuny** (1838-1874) es un pintor catalán fuera de serie en el contexto del arte europeo. Su pintura clara, cuando los académicos y los pintores realistas utilizaban una gama oscura, constituyó una gran novedad que sólo los impresionistas franceses descubrieron y desa-

Ramon Martí Alsina. «Autorretrato». 1863.
(115 x 85 cm)

rrollaron. Este pintor está representado con la acuarela, de tema orientalista, «El vendedor de tapices», hecha en París en 1870.

**La pintura histórica** constituía una especialidad en la que los pintores se esforzaban en reconstruir con verosimilitud las gestas patrióticas. El pintor **Ramon Tusquets** (1838-1904) es el artista catalán que más sobresalió en este género, pero el cuadro que se expone en el museo de Montserrat expresa el tema bíblico de la «Muerte de Sísara», que quiere ser un canto épico a la libertad de la patria.

**El Realismo** tuvo su epicentro en París en las décadas del 50 al 70; llegó a Cataluña con un poco de retraso. Los realistas pretenden captar la realidad desnuda, sin énfasis literario, y entonan su pintura con colores tierra y ocres, y fondos de color betún en los retratos. **Simó Gómez** (1845-1880) y **Antoni Caba** (1838-1907) son dos pintores de esta sensibilidad. Merece una especial consideración **Ramon Martí Alsina** (1826-1894), el Courbet catalán, al que puede considerarse como el punto de partida de la escuela de pintura catalana. Su discípulo **Francesc Torrescassana** (1845-1918) le ayudó durante muchos años a pintar las figuras de sus paisajes, pero una vez independizado llegó a pintar con una gran personalidad y un estilo muy próximo al impresionismo francés.

**Ramon Martí Alsina.** «El puerto de la Barceloneta». c. 1885. (99 x 200 cm)

**La Escuela de Olot** representa en la pintura catalana lo que Barbizon en la francesa. **Joaquim Vayreda** (1843-1894), discípulo de Martí Alsina, asimiló las lecciones de Gustave Millet y dedicó toda su vida a plasmar las bellezas de su comarca natal con paisajes de un verdor que asombra, primaveras floridas, campos de forraje en flor, balsas de aguas muertas, vacas, ovejas, carretas cargadas de heno, escenas de vida campestre, etc.

**Francesc Gimeno** (1858-1927) es un caso singular en la pintura catalana; tuvo el temperamento de un gran pintor, pero su pintura, aprendida en Madrid y con el sabor de los clásicos del siglo XVII, en un principio no gustó en Barcelona. Sólo triunfó cuando ya era muy mayor y entonces se lanzó a pintar con un colorismo y unas texturas que llaman la atención por su vigor. El cuadro «La pequeña y su buen compañero» (1891) pertenece a su primer período y es un clásico de la pintura catalana.

**Joaquim Vayreda.** «El joven campesino». c. 1874. (56 x 37 cm)

**Francesc Gimeno.** «La pequeña y su buen compañero». 1891. (75 x 57 cm)

**Joaquim Vayreda.** «Salida de luna». 1883. (75x133 cm)

**Romà Ribera.** «Salida del Liceo». 1913. (82 x 62 cm)

**Una constelación de pintores** discípulos de Ramon Martí Alsina llenaron los decenios del cambio de siglo. **Francesc Miralles** (1849-1901), establecido en París, pintaba escenas de alta sociedad y figuras femeninas. **Joan Roig i Soler** (1852-1909) capta principalmente pueblos de la costa catalana en pleno sol. **Romà Ribera** (1848-1935), residente en Roma y en París, pinta como nadie las calidades táctiles de la ropa, el ambiente de vida mundana y temas ambientados en la época de Luis XIII. **Josep Cusachs** (1851-1908), militar y pintor, es especialista en temas hípicos y castrenses. **Eliseu Meifrèn** (1859-1940) es un pintor óptimo, que sorprende a su público con paisajes y marinas de todos los lugares que visitó.

**El Círculo Artístico de San Lucas** fue fundado en Barcelona, en 1892, con la finalidad de agremiar a los pintores cristianos que querían hacer de su arte un vehículo de fe y moralización social. **Joan Llimona** (1860-1926) es el personaje más característico y de más calidad de este grupo, del que también formaban parte su hermano, el escultor **Josep Llimona** (1864-1934), y el pintor **Dionís Baixeras** (1862-1943), que dedicaba su trabajo a plasmar, durante el verano, temas montañeses del Pirineo y, durante el invierno, desde Barcelona, temas de marineros.

**El Modernismo** está apuntado con la pintura de **Joan Brull** (1863-1912), que se complace en representar caras enigmáticas de niñas adolescentes, hadas y fantasías de gusto simbolista. Estas últimas se hallan bien representadas en el cuadro de gran tamaño «La Virgen esperando la Navidad» (c 1893) de **Alexandre de Riquer** (1856-1920), que es también el diseñador de la «Bandera de la Unión Catalanista».

**Joan Roig i Soler.** «Sitges». 1885.
(57 x 45 cm)

El modernismo más característico de la pintura catalana lo constituye el tándem formado por **Santiago Rusiñol** (1861-1931) y **Ramon Casas** (1866-1932). Para estos pintores, el artista no ha de acercarse a la realidad desde el seco objetivismo, sino que ha de ver en ella el misterio que encierra, el sufrimiento o el gozo, la situación cam-

**Santiago Rusiñol.** «El valle de los naranjos», Mallorca. 1902. (98 x 124 cm)

**Santiago Rusiñol.** «Café de Montmartre». 1890. (80 x 116 cm)

biante de las cosas en su entorno o el momento fugaz de una pose o un suceso.

Rusiñol encontró en París el ambiente más apropiado para ahondar esta visión del arte, que introdujo en Barcelona con sus cuadros parisienses y que desarrolló en su obra realizada en diversos puntos de Cataluña, y luego en sus paisajes y jardines de España.

**Santiago Rusiñol.** «El patio azul». 1892.
(112 x 79 cm)

**Ramon Casas.** «La plaza de toros». 1884.
(54 x 73 cm)

**Ramon Casas.** «Madeleine». 1892.
(117 x 90 cm)

Ramon Casas. «Antes del baño». 1895.
(72 x 60 cm)

Ramon Casas, amigo inseparable de Rusiñol, sin desdeñar el paisaje, prefirió la figura y principalmente la femenina. Todo su interés se concentra en representar, con gran simplicidad de medios, la belleza de la modelo captada en una instantánea, que siempre tiene un motivo que le da encanto.

Ramon Casas. «Después del baile». 1899.
(46 x 50 cm)

Otros pintores amigos de sus colegas catalanes están también representados en el museo de Montserrat. El más famoso es **Joaquim Sorolla** (1863-1923), uno de los mejores pintores Impresionistas de España. Nuestro museo posee un cuadro de la primera época realista de tema oriental y el surtidor de un jardín, ya más impresionista. **John Singer Sargent** (1856-1925) era un pintor de nacionalidad americana, enormemente admirado por los pintores catalanes, que estuvo varias veces en Barcelona. Fue un retratista excepcional, que supo extraer del modelo la máxima elegancia. **Ignacio de Zuloaga** (1870-1945) fue amigo y compañero de Rusiñol, igual que **Julio Romero de Torres** (1874-1930), que está representado con una extraordinaria obra de su primera época.

**J.S. Sargent.** «La dama de la sombrilla». c. 1900. (53 x 40 cm)

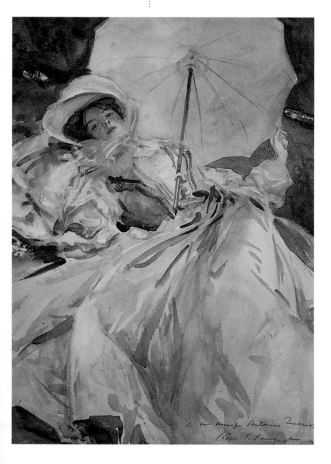

**J. Romero de Torres.** «Esperando». 1905.
(166 x 98 cm)

**Darío de Regoyos** (1857-1913) es un pintor que se sentía vasco y que al final de su vida se estableció en Barcelona.

**Los impresionistas franceses** representan un desafío a la pintura de escuela catalana. Las obras de Claude Monet (1840-1926), **Alfred Sisley** (1839-1899), **Camille Pissarro** (1830-1903), **Auguste Renoir** (1841-1919), **Edgar Degas** (1834-1917), nuestros artistas nunca las consideraron modelos a seguir. Los pintores catalanes admiraban sobre todo a otros autores, los que servían de puente entre los impresionistas y los académicos, que actualmente la crítica francesa está redescubriendo.

Esta colección de impresionistas franceses, a pesar de ser tan reducida, es la única de esta pintura que puede admirarse en Cataluña. Se complementa con dos autores mucho más modernos **Georges Rouault** (1871-1958) y **Serge Poliakoff** (1904-1969).

**A. Sisley.** «Port Marly en invierno». 1876. (38 x 55 cm)

**Darío de Regoyos.** «Los pollitos». 1912.
(55 x 46 cm)

**E. Degas.** «Nelly». (62 x 47 cm)

La figura de **P. Ruiz Picasso** (1881-1973) ocupa un lugar especial en la trayectoria de la pintura catalana, ya que pasó en Barcelona gran parte de sus años de formación y juventud. El museo cuenta con dos cuadros de P. Ruiz Picasso «El viejo pescador», pintado en Málaga cuando el autor tenía sólo 14 años, y «El monaguillo», pintado en Barcelona cuando estudiaba en la escuela de Bellas Artes. La obra de este genio de la pintura se complementa con varios dibujos de época posterior.

**P. Picasso.** «El monaguillo». 1896.
(75 x 50 cm)

**P. Picasso.** «El viejo pescador». 1895. (83 x 62 cm)

**Isidre Nonell.** «Pobres esperando la sopa». 1899.
(51 x 65 cm)

**Isidre Nonell.** «Consuelo». 1901.
(131 x 90 cm)

**El Postmodernismo**, en Cataluña, es una reacción contra la pintura agradable del Modernismo, principalmente de Rusiñol y Casas. Los postmodernistas se enamoran de todo aquello que es pobre y que se considera feo y vulgar, y lo representan con pinceladas expeditivas y temperamentales, pero en su conjunto acertadas y justas. **Isidre Nonell** (1873-1911) es también una figura singular de la pintura catalana. Su tema, que llega a ser una obsesión, son las gitanas, como exponente de un mundo marginal de la sociedad opulenta de Barcelona.

**Isidre Nonell.** «Pobre jovenzuelo». c. 1896. (145 x 94 cm)

La pintura de **Joaquim Mir** (1873-1940) responde también a la estética postmodernista, pero enseguida consiguió nuevas expresiones, sobre todo a raíz de su viaje a Mallorca, cuando el colorismo de sus cuadros estalla de manera impresionante. A partir del año 1908 cambia su estilo y se hace más decorativo, pinta utilizando manchas de color verde y azulado, casi como si se tratara de un tapiz plateado. La última época de este paisajista fue más convencional, pero mantuvo siempre su impetuoso trazo característico.

**Joaquim Mir.** «El camino de la Cueva». Montserrat, 1908. (134 x 117 cm)

**Joaquim Mir.** «Interior de una iglesia». 1898.
(95 x 98 cm)

**Joaquim Mir.** «La Cala de San Vicenç».
Mallorca, 1902. (280 x 400 cm)

**Ricard Canals.** «Maternidad». 1903. (93 x 73 cm)

**Los Neoimpresionistas** catalanes fueron a París a principios de siglo y quedaron hechizados per los auténticos impresionistas. **Hermen Anglada Camarasa** (1872-1959), en su primera época, es el pintor más destacado de este movimiento. **Ricard Canals** (1876-1931), amigo íntimo de Picasso, en París entró en la órbita de Durand Ruel, el gran marchante de los ya viejos impresionistas, y aprendió a pintar a la manera de Renoir y de Cézanne, pero con una sensibilidad que le acredita como un gran pintor.

**H. Anglada Camarasa.** «Champs Elysées». 1904. (81 x 120 cm)

**Joan Rebull.** «María Rosa». 1935.
(43 x 34 x 17 cm)

El museo de Montserrat posee también una pequeña muestra de **escultura catalana**. Excepto las dos obras de sensibilidad modernista de Josep Llimona, la mayor parte de esculturas pertenecen al movimiento novecentista, que se caracteriza por el redescubrimiento de la rotundidad del volumen y el retorno al mediterranismo de raíces clásicas. Los mejores exponentes de esta escuela son: **Enric Casanovas** (1881-1948), **Manolo Hugué** (1872-1945) y **Josep Clarà** (1878-1958). **Joan Rebull** (1899-1981) y **Pablo Gargallo** (1881-1934) exploran ya otras orientaciones que quieren ser más modernas.

**P. Gargallo.**
«Torso». 1931.
(85 x 25 x 20 cm)

Joaquim Sunyer. «Rebaño». (66 x 81 cm)

La pintura catalana **novecentista** vuelve a valorar el dibujo como soporte del color. Todas las cosas se definen por su volumetría, que bien articulada forma un conjunto armónico. La temática preferida es el retorno al paisaje de la tierra catalana, mediterranista; y las figuras manifiestan serenidad y gozo por la vida. Estas premisas estilísticas podemos comprobarlas en las obras de **Joaquim Sunye**r (1875-1956), la época catalana de **Joaquim Torres García** (1875-1949) y en la de **Xavier Nogués** (1873-1940).

Joaquim Torres García. «El pintor y su familia». 1917. (50 x 69)

Entre los años 1925 y 1935, los pintores catalanes se encontraban en la perplejidad de seguir la tradición figurativa o de dar el salto hacia las vanguardias. La mayoría de ellos siguieron la primera opción, pero no menospreciaron la segunda. Su estilo asume la lección del impresionismo francés pero apoyándola sobre los postulados novecentistas catalanes. El resultado es una pintura figurativa muy delicada y colorista, que gustó mucho a la burguesía culta de Barcelona. Entre estos pintores destacan los nombres de **Feliu Elías** (1878-1948), **Iu Pascual** (1883-1949), **Ignasi Mallol** (1892-1940) y **Domènec Carles** (1888-1962).

**Xavier Nogués.** «Entre sardana y sardana». 1940. (54 x 65 cm)

**Salvador Dalí** (1904-1989) es uno de los pintores catalanes de categoría más reconocida mundialmente. Su pintura más característica se inserta en el surrealismo, del que es el máximo exponente. El cuadro «El marinero. Academia neocubista» representa el primer intento del joven Dalí por entrar en el campo surrealista, aun cuando sus figuras reflejan el cubismo picassiano, que entonces era el vértice de la vanguardia. El «Bodegón» y el dibujo «María Carbona» son también de la primera época del pintor ampurdanés.

**Salvador Dalí.** «El marinero. Academia neocubista». 1926. (190 x 200 cm)

**Josep Obiols.** «La pequeña haciendo media».
1938. (61 x 50 cm).

**Olga Sacharoff.** «Sombrerería». 1960. (73 x 92 cm)

La guerra civil española significó un grave trauma para la cultura catalana. Los pintores que se quedaron en Barcelona y los que volvieron del exilio continuaron cultivando, sin mayores dificultades, la misma pintura figurativa. Unos se inclinaron por un estilo sobriamente realista: **Josep de Togores** (1893-1970), **Alfred Sisquella** (1900-1964), **Mallol Suazo** (1910-1986), **Rafael Durancamps** (1891-1979), **Antoni Vila Arrufat** (1894-1989); otros prefirieron un estilo más decorativo, de resonancias novecentistas: **Josep Obiols** (1894-1967), **Jaume Mercadé** (1887-1967), **Pere Pruna** (1904-1977), **Olga Sacharoff** (1889-1967); y mencionaremos también a los que quisieron volver al novecentismo injertándolo al neoimpresionismo francés: **Rafael Benet** (1889-1979), **Rafael Llimona** (1896-1957), **Josep Mompou** (1888-1968), **Pere Créixams** (1993-1965), **Pere Daura** (1896-1976), **Miquel Villà** (1901-1988), **Josep Amat** (1901-1991), **Ramon Rogent** (1920-1958) .

**Pere Daura.** «Montserrat». 1931. (82 x 73 cm)

La colección de pintura catalana acaba con una muestra de obra gráfica de pintores de fama reconocida, que pertenecen a los movimientos de vanguardia y que representan una apertura del museo a la estética contemporánea. Consta de quince linograbados de la serie de Vallauris de Picasso y de obras de los siguientes artistas: **M. Chagall** (1887-1985), **Georges Braque** (1882-1963), **Le Corbusier** (1887-1965), **Rouault**, **Joan Miró**, (1893-1983), **Salvador Dalí**, **P. Picasso**, **A. Clavé** (1913) y **A. Tàpies** (1923).

**P. Picasso.** «Cartel de Vallauris». 1960

**Le Corbusier.** «Sin título». 1963

**P. Picasso.** «Cartel de Vallauris». 1956

# Índice de nombres